T'choupi

dans le jardin

Illustrations
de Thierry Courtin

Nathan

Aujourd'hui, T'choupi passe la journée

chez ses grands-parents.

– Ça tombe bien que tu sois là, T'choupi,

dit papi en enfilant son . Tu vas

tablier

m'aider dans le jardin.

Dans la cabane à outils, papi prend

une  et un plantoir.
bêche

T'choupi attrape le  .
râteau

– En avant, les jardiniers ! dit papi.

Papi montre un à T'choupi :

cageot

– Tu vois ces petites  , T'choupi ?

salades

Il faut les planter dans les trous

que je vais creuser.

– D'accord, papi, on y va. Une, deux, trois !

Papi s'arrête un peu plus loin.

– Bravo, T'choupi ! C'est très bien. On va

leur donner un peu d'eau, maintenant.

Avec le d'arrosage, papi arrose

tuyau

tout doucement les plants de salades.

T'choupi l'aide avec son petit .

arrosoir

L'eau fait sortir de terre un petit
ver

et une 🐌 .
limace

– Eh oh, crie T'choupi, si vous mangez

mes salades, vous aurez affaire à moi !

– Viens avec moi T'choupi, dit papi.

Je vais tailler mes arbres. Toi, tu peux

désherber ce coin du jardin.

Cric-crac, avec le  , papi coupe des

sécateur

branches. T'choupi, lui, arrache les mauvaise

 , et parfois les bonnes aussi !

herbes

– Et maintenant, dit papi, allons voir

ce que nous pouvons cueillir aujourd'hui.

Papi cueille des [petits pois] et des [haricots verts].

petits pois   haricots verts

T'choupi s'occupe de ramasser

les 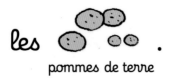 .

pommes de terre

Dans le parterre des plantes aromatiques,

papi cueille du . T'choupi aime bien

persil

sentir le et la fraîche.

thym

menthe

Puis T'choupi va dans la partie du jardin

qu'il préfère : c'est là que poussent

les fruits de papi. Il ramasse quelques

 bien rouges et des

fraises

framboises

toutes roses.

Un peu plus tard, Papi vient le chercher.

– Et si on cueillait des pour mamie ?

roses

– D'accord, dit T'choupi, mais c'est moi

qui les choisis !

En rentrant à la maison, T'choupi enlève

ses  et court vers mamie avec

bottes

son **panier** .

– Alors, dit mamie, tu me montres ta récolte ?

– Euh… rougit T'choupi. Je voulais savoir

si c'était bon, alors je l'ai goûtée avant !

**Retrouve sur ce dessin
tout ce que T'choupi a vu...**

le râteau
la bêche
le sécateur
l'arrosoir
le ver de terre
la limace
les salades
les petits pois
les haricots verts
les pommes de terre
le persil
le thym
la menthe
les fraises
les framboises
les roses

Et dans la même collection...

les étoiles

l'avion

le fantôme

le lit

le hibou

papi

le phare

l'arbre

la lampe de poche

le pyjama

Un personnage de Thierry Courtin
Couleurs : Françoise Ficheux

Loi n°49-956 du 16 juillet 1949
sur les publications destinées à la jeunesse,
modifiée par la loi n°2011-525 du 17 mai 2011.
© 2012 Éditions NATHAN, SEJER, 25 avenue Pierre de Coubertin, 75013 Paris
ISBN : 978-2-09-253723-7
Achevé d'imprimer en janvier 2018
par Lego, Vicence, Italie
N° d'éditeur : 10242496 - Dépôt légal : février 2012

T'choupi
dans la nuit

Illustrations
de Thierry Courtin

Un soir d'été,  regarde le

T'choupi   soleil

se coucher sur la mer.

Justement son  a une idée :

papi

– Dis, T'choupi, si on sortait se promener

dans la nuit ?

T'choupi est tout excité :

pour une fois, il a le droit de veiller.

Sur le chemin, il fait des ronds

de lumière avec la
lampe de poche

que mamie lui a prêtée.

Il fait de plus en plus noir.

Un éclaire le chemin. Une par une,

lampadaire

les lampes dans les maisons s'allument.

– Allons jusqu'à la mer, dit papi.

Sur la plage, papi et T'choupi s'arrêtent

un moment. La lumière d'un  balaye

phare

l'horizon. Tout à coup, fizz, vlam, boum !

un commence.

feu d'artifice

– Oh, comme c'est joli ! s'écrie T'choupi.

Il fait complètement nuit maintenant :

la s'est levée et des

lune   étoiles

brillent dans le ciel d'été.

Papi montre à T'choupi l'étoile du berger,

qui est la plus lumineuse.

– Là-bas, une  ! crie T'choupi.

étoile filante

Mais c'est seulement un

avion

qui passe, tout éclairé, dans la nuit.

Au bord du chemin, T'choupi voit soudain

quelque chose qui brille.

– Qu'est-ce que c'est papi ?

C'est une étoile qui est tombée ?

– Mais non, sourit papi, c'est un  .

ver luisant

Hou hou hou ! La nuit, on entend

de drôles de bruits.

– Tu crois que c'est un  ?

hibou

demande T'choupi.

– Oui, répond papi. Il est sûrement dans

cet  . Chut… ne l'effrayons pas !

arbre

Un peu plus loin, papi montre à T'choupi

des  .

papillons de nuit

Soudain, brrr... T'choupi sent une

chauve-souris

tout près de lui.

Heureusement qu'il est avec son papi !

– Dis, papi, s'inquiète T'choupi,

est-ce que les  et les

fantômes   sorcières

se promènent aussi la nuit ?

– Mais non, mon T'choupi ! Les fantômes

et les sorcières, ça n'existe que dans

les histoires...

Ouf ! T'choupi est content de retrouver

la maison. Il est très fatigué maintenant :

il enfile son  et se blottit dans

pyjama

son  .

lit

– Bonne nuit, papi ! Bonne nuit, mamie !

Retrouve sur ce dessin
tout ce que T'choupi a vu...

la lampe de poche
le lampadaire
le phare
le feu d'artifice
la lune
les étoiles
l'étoile filante
l'avion
l'arbre
le ver luisant
le hibou
la chauve-souris
les papillons
de nuit

Et dans la même collection ...

créez et partagez la liste rêvée de votre enfant sur **mabiblionathan.com**